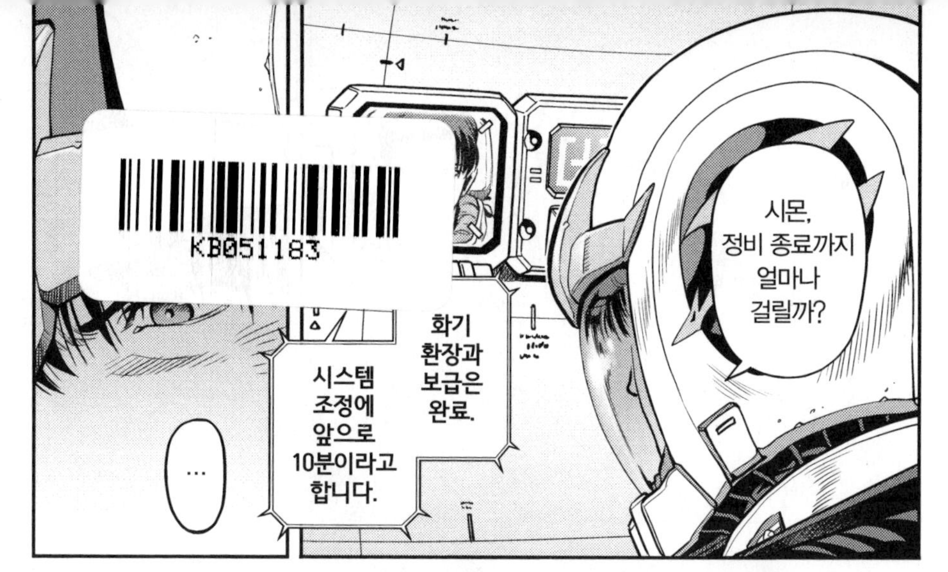
시몬,
정비 종료까지
얼마나
걸릴까?
화기
환장과
보급은
완료.
시스템
조정에
앞으로
10분이라고
합니다.
…

아…
미… 미안해.

우라키 중위!
파일럿은 콕피트 대기잖아!
랜드 무버도 없이 뭐 하는 거야?
모라…

니나 찾는 거지?
싸우기라도 했어?
니나한테 할 말이…
일단 콕피트로 돌아가!!
내가 전해줄 테니까.
이런 절박한 상황에 무슨 일인가, 타냐 중위.
예!
코웬 중장님의 지령을 가지고 왔습니다!!
EYPHAR·SINAPUS

지령?
중장님은 이미 지휘권을 박탈당했다고 들었는데.
앨리스 밀러 소령이 직접 자브로에 가서 받아온 정식 지령입니다.
물론 지휘권이 박탈되기 전에!!

그럼, 전달하겠습니다!
알비온은 현시간 부로 델라즈 플리트 추격 임무에서 해제!
이번 핵탄두 강탈로 시작된 일의 모든 책임은
코웬 중장 본인이 지겠다고 합니다!
TANYA CHERMO

중장님 혼자서 책임을 지겠다고?
이 지령에 의해 귀함은 궤도함대의 명령을 받지 않고
현 지역에서 철수가 가능합니다.
…
현시점에서, 철수할 생각은 없다네…
어째서죠?
쓸데없이 죽으러 갈 필요는 없을 텐데요.
꽈악…
당사자인 우리가 철수할 수는 없다…

오스트레일리아에서 2호기를 강탈당한 탓에 관함식이 핵공격을 당했고
지구에 콜로니를 떨어트리는 만행으로 이어졌다.
그렇기에 우리는 물러날 수 없다네!!
함장님이 책임을 느끼는 건 이해합니다.
하지만 지금이 이 함의 운명을 좌우할 분수령입니다.
잘 결단 하세요!!

이해 할 수 없는 건, 이런 상황에서 직접 지령을 전하러 올 만큼
정보부가 우리 편을 들어주는 건가?
통신으로는 기록이 남으니까요.
정보부로서는 대놓고 관여할 수 없는 안건이거든요.
개인적으로는 한솥밥을 먹는 인연이라고 할까…
소령님도 저도 이 알비온을 신경 쓰고 있다는 걸 알아주세요.
배려에는 감사하지만, 우리의 결의는 달라지지 않네!!
그럼 이대로 궤도함대의 명령을 받아
배반한 지온 해병과 싸울 건가요?

아니… 우리는
델라즈 플리트의
콜로니 낙하를
저지하기 위해
어디까지나
독립 기동함대로서
작전 행동에
임한다!!
…
아쉽지만…
알겠습니다.

무운을
빕니다!!

연방의
솔라 병기를
육안으로
확인!!
미노프스키 농도가
급격히 높아졌다.
여기가 결전의 장!!
경계를
철저히 하라!!
예!!

가토 소령님.
오른쪽 어깨의
피탄 부분은
괜찮으십니까?
문제 없다!!
서브 암의
사벨 2개를
못 쓸 뿐이다.
!!

미사일
화망
입니다!!

치이야!!
두
두
두

콰앙
기동
부대
확인!
각 부대
산개.
적 함대에
달라붙어라!!
적의
솔라 시스템만
파괴하면
된다!!
그러면
이 싸움은
끝난다!!

가토가 연방 함대와 전투를 시작했습니다!!
놈이 발을 멈추면 뒤에서 공격한다.
함의 속도를 늦추지 마라!!
알고는 있는데, 그게…
뭐냐, 콧셀?!
시마 님은 브리지로 안 가십니까?

지금 격납고에서
거베라 테트라에
슈트룸 부스터를
다는 중이다.
정비가
끝나는 대로
이걸로
나간다!!
너무
무리하지
마십쇼.
시마 님이
있어야
해병대도
있는
겁니다.
앙?
한심한
소리 하지
마라!!
쾅

내가
왜 죽어!!
난
부하들을
먹여
살려야만
한다고!!

하는 김에!! 클라라 기체에 달린 뿔을 떼서
가베라에 옮겨 달아라.
불만은 없겠지, 클라라.
저건 원래 내 거니까.
무… 물론 이죠.
평소보다 신이 났네?

이 싸움이 마지막 큰 장사다. 정신 바짝 차려!!

덴드로비움 기동 에러!! 부팅 실패.
스테이맨과 오키스의 시스템 접속을
레벨4부터 다시 해봐요.

삑삑
삑
왜 연결이 안 되는 거야…
기초 시스템부터 다시 깔까?
안 돼! 시간이 없어.

…루세트
니나는…
잠깐만!!
내가 어떻게든 할 테니까!!

…

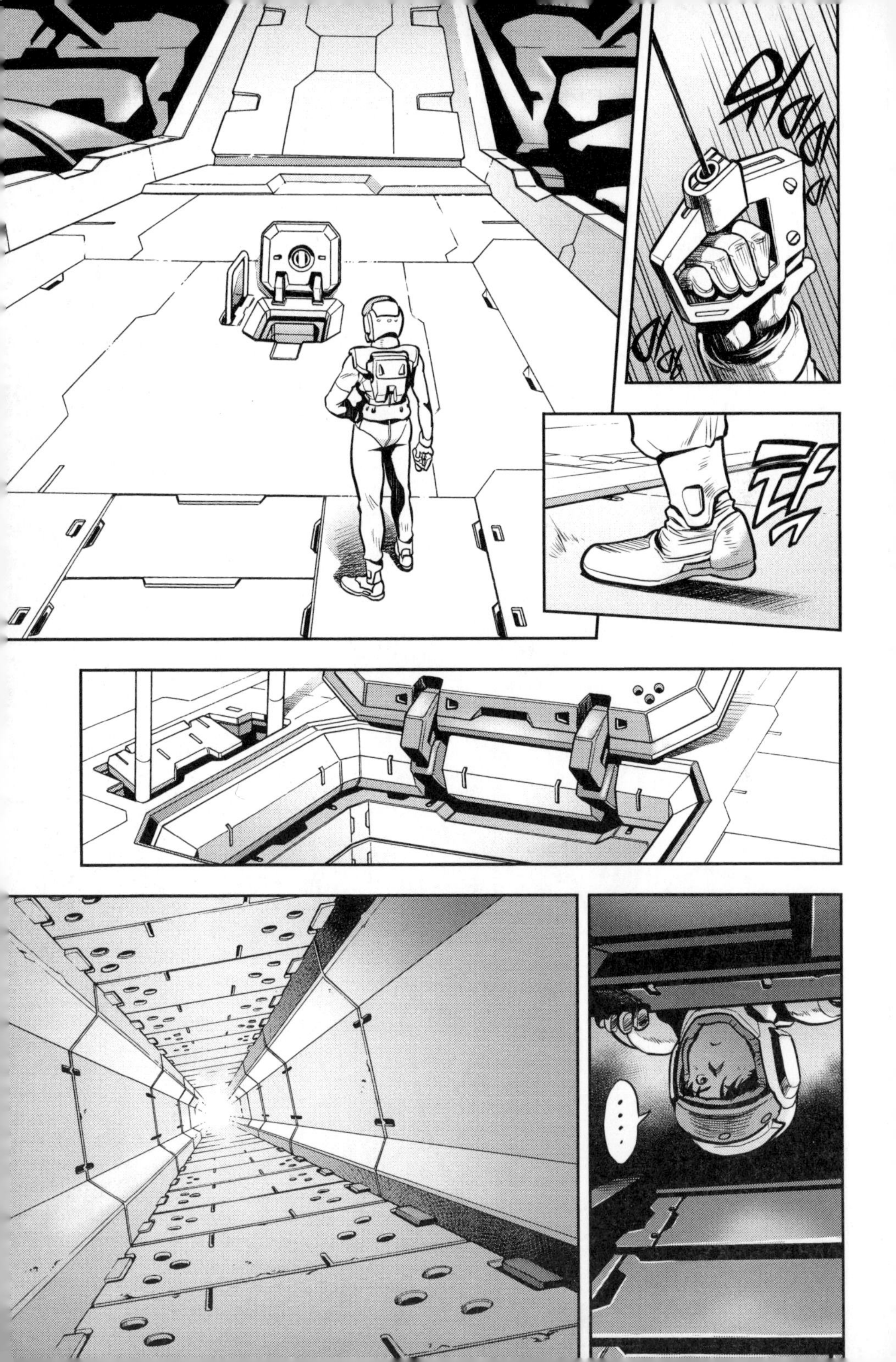
탁
…

너라면
시스템 에러를
고칠 때
중추 블록에서
직접 입력
조정할 것
같았어.
니나!!
잠깐만
기다려…
지금 떼쟁이를
달래고
있으니까.

외부에서
아무리 혼을 내도,
절대로 안 들어.
왜냐
하면…
GP 시리즈의
연산 알고리즘은
내가 짰거든.
그래서
솔직하지도
않고
귀여운
맛도 없고
융통성도
없지…

완전히 배배
꼬였다니까…
나처럼
말이야…
Pi
?!!
됐다!!
기동 시퀀스에
들어
갔습니다!!
니나…구나
…!

작업반, 빨리!!
그래… 인정할게 니나…
네 건담 이라고….
으음ー…!
니나!!
「다 끝나면 같이 지구로 가자…」
우라키 중위가 그렇게 전해달라고 했어.

건담은 곧 출격 명령이 나올 거야!!
왜 싸웠는지는 모르겠지만, 출격 전에 한 마디라도…
지금은 안 돼…
말했잖아. 이 건담처럼, 나도 배배 꼬였다고.
코우한테 할 말이 생각나지 않아.
하나도…
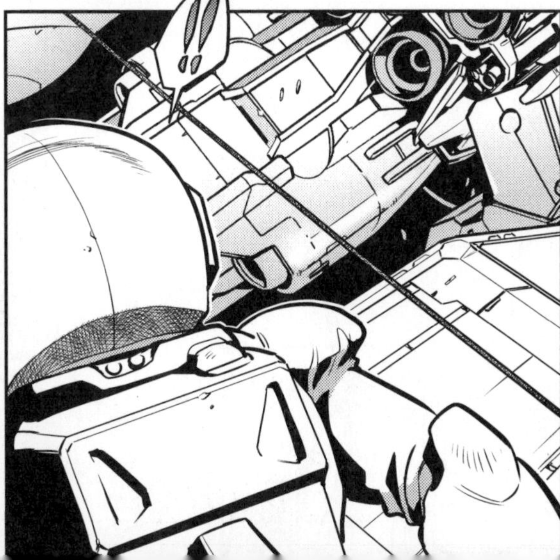

잠깐 기다려!!

슈우
우웅
니나!
함내 방송
못 들었어?
함장님이
민간인을
데리고
가달라고
요청하셨어.
타냐?
너하고는
월면도시에서
보고 처음…
이라고
하고
싶지만

라비앙로즈에서
소동 때
나도 있었어!!
뭐?
네가
지온 군인을
데리고 와서
만날 수는
없었지만.
?!
…

재!!
시간
없어.
짐 챙겨서
수송함에 타!!
난…
여기 남아서
끝까지
지켜볼 거야.
그만 좀
하라고!
네 고집 때문에
사람들이 얼마나
걱정하는지
알아?
라비앙로즈에
두고 온
네 친구…
그러니까…
폴라
말이야?
맞아!!
폴라도
「무조건
붙잡았어야
했다」고
후회하고
있었어.
걱정 끼친다는
정도는
나도 알아…

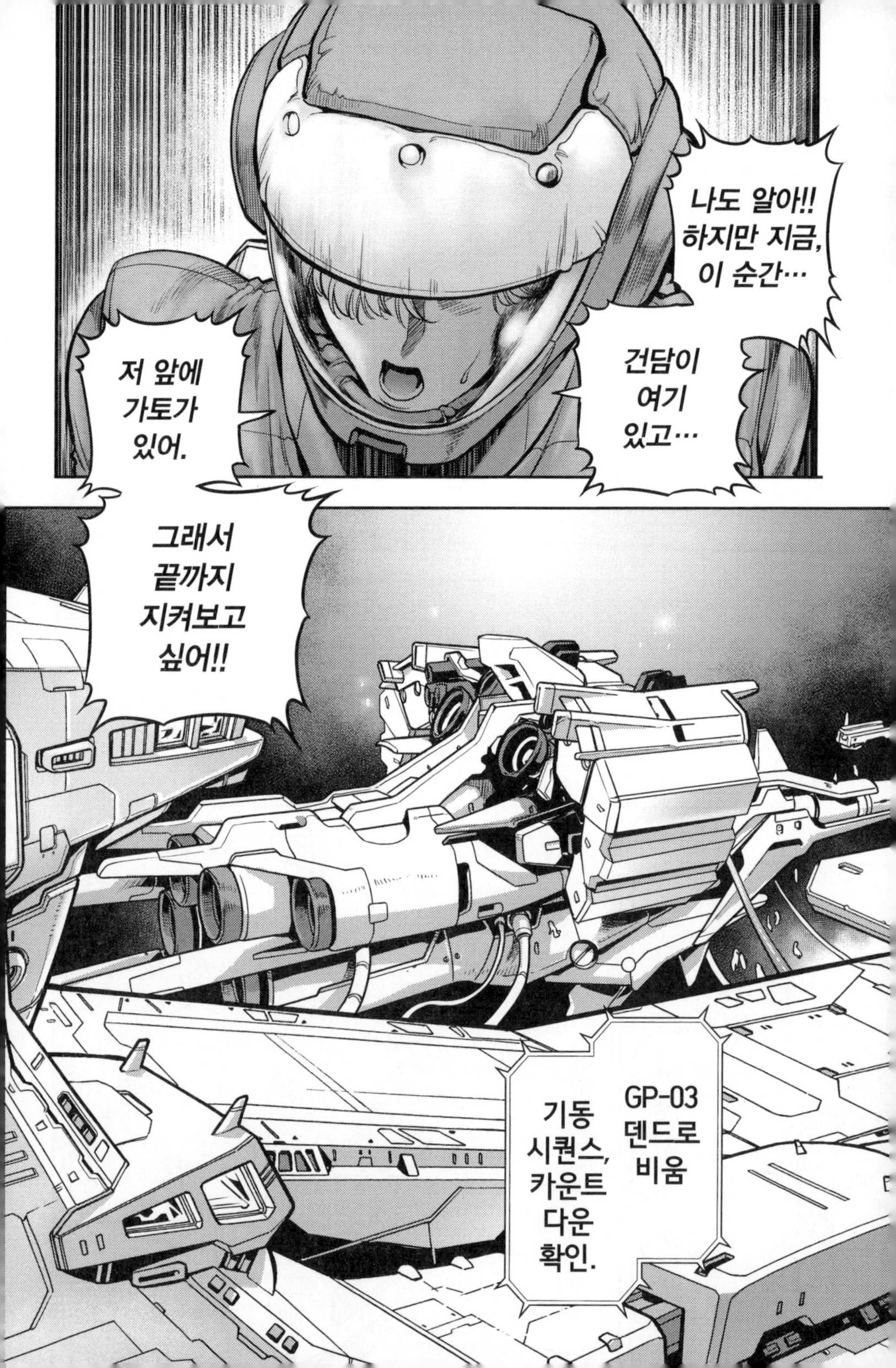
나도 알아!! 하지만 지금, 이 순간…
건담이 여기 있고…
저 앞에 가토가 있어.
그래서 끝까지 지켜보고 싶어!!
GP-03 덴드로비움
기동 시퀀스, 카운트다운 확인.

웨폰 시스템 각 컨테이너 접속 체크
문제 없음…
정상 기동!!
…문제 없습니다!!
부우
우웅
…
그럼 마음대로 하든지.

건담의 계보를 조사하고 기록하는 게
내 임무라고 말했지?
당신은 내가 지켜봐줄게.
조사 대상자로서!!
…

AE사 우주 자항 도크선 라비앙로즈
월면 본사로 돌아가는 건 조금 기다리는 게 좋을 것 같아.
폴라.

왜죠? 결국 니나도 안 돌아 왔는데…
니나
이 난리가 끝나면
사내에서 대규모 숙청이 시작될 테니까.

숙청…?

그런데 이 장난감은 뭐지?
니나 거예요. 소중히 여기던 거라서
언젠가 전해줄까 하고…
데굴
니나
니나 니나
데굴

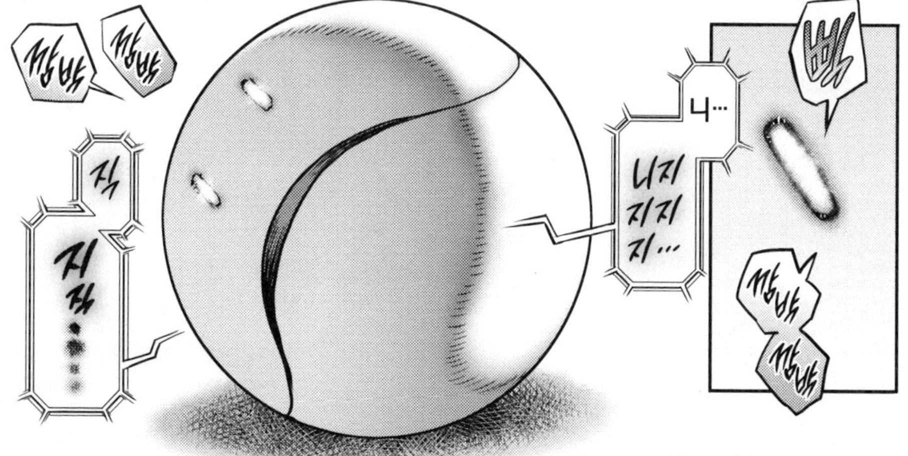
빠
니…
니지 지지 지…
깜박 깜박
깜박 깜박
직
지직…

…니나.
니나 퍼플턴…
?!
…
네가 이걸 듣고 있을 때… 나는 아마도 이미 네 앞에서
사라졌을 것이다…
이거… 누구 목소리지?
아마도 너는 이해할 수 없겠지…
…그래서 전부 잊어줬으면 싶었다…

MOBILE SUIT

GUNDAM 0083 REBELLION

STARDUST MEMORIES

MOBILE SUIT
GUNDAM
0083
REBELLION
STARDUST MEMORIES

퍼
제68화 「파상공격」
퍽
적 중 MA의
클로 공격에
주의하라!!
각기
산개!!
펑
슈욱

전력을 아끼지 마라!!
중장 짐 개량형, 전부 출격!!
패엉
슈웅
키잉

콰앙
빔 교란막
살포!!
파방
파방

파바방
펑
펑

기이잉
지지지지
크...

퍼벙벙
퍼벙벙
화망을
쳐라.
적 MA의
접근을
막아!!
콰광
콰직
콰직
콰광

가토 소령님.
상대는 연방의
주력 함대
입니다!!
이대로 가면
저희 손해가
커질 뿐입니다!!
알고
있다…!!
허나…
여기서
물러날 수는
없다!!
눈앞에
있는…
저것만
파괴하면….

꽈
악
델라즈 각하의
별가루
작전을…
우리의 대의를
보여줄 수
있다!!

흥
델라즈라는
머리를 잃은
잔당 따위가
뭘 하겠다는
거냐?

콜로니 낙하 저지
한계점까지 앞으로
2시간입니다!!
솔라 시스템 II
조사 좌표
돌입 타이밍,
카운트 다운
개시!!
헛된
발악이나 해라.
잔당 놈들아…!!

솔라 시스템을 이용한 공격의 카운트 다운이 시작됐습니다.
각 모니터에 표시하겠습니다.
00:98:26
1시간 반 이후… 인가.
우리의 활동 한계도 1시간이라는 얘기군.

우라키 중위, 건담은 나갈 수 있나?
예!!

아무 문제 없습니다!!
건담은 적 MA의 움직임만 막으면 된다.
우리의 임무는 어디까지나 콜로니 낙하 저지다!!

함장이 전한다!!
알비온은 지금부터 콜로니의 궤도 수정을 시도한다.

U.N.T. SPACY ALBION
단!!
솔라 시스템 공격이 시작되기 전에 임무를 마치지 못한 경우
신속하게 이 구역에서 철수한다!!

다들 명심해 주게.
이것이 어디까지나 임무라는 사실을!!

현재…
콜로니
주변의
적 호위
함대는
해병대의
반란 때문에
혼란에 빠져
분산된
상황이라고
할 수 있다.
그 틈을 노려,
우리는
콜로니에 대한
강습 상륙을
한다.
이는 충분히
승산이 있는
작전이다!!

…
오스트레일리아에서
시작된 지온
잔당과의 악연을,
여기서 청산한다!!
다들 지금까지
잘 싸워줬다….
…
ARISTIDE HUGHES

말도 안 돼. 개죽음은 싫은데 말이야!!
그럼 임무를 포기할 거냐, 몬시아?

…
무슨 소리야…
그러면 버닝 대위님이 눈을 못 감지.

정말 이 함에 남겠다는 거야? 니나…
응. 그러니까 이제 가, 루세트.
난 더 이상 같이 못 하겠어!!
건담 엔지니어로서 애프터 케어는 여기까지야!

건담은 내가
지켜볼게.
무슨
소리야.
바보야!!

건담도
가토도
아니고…
네가
지켜봐야 할
상대는…
코우 우라키가
아니었어?!

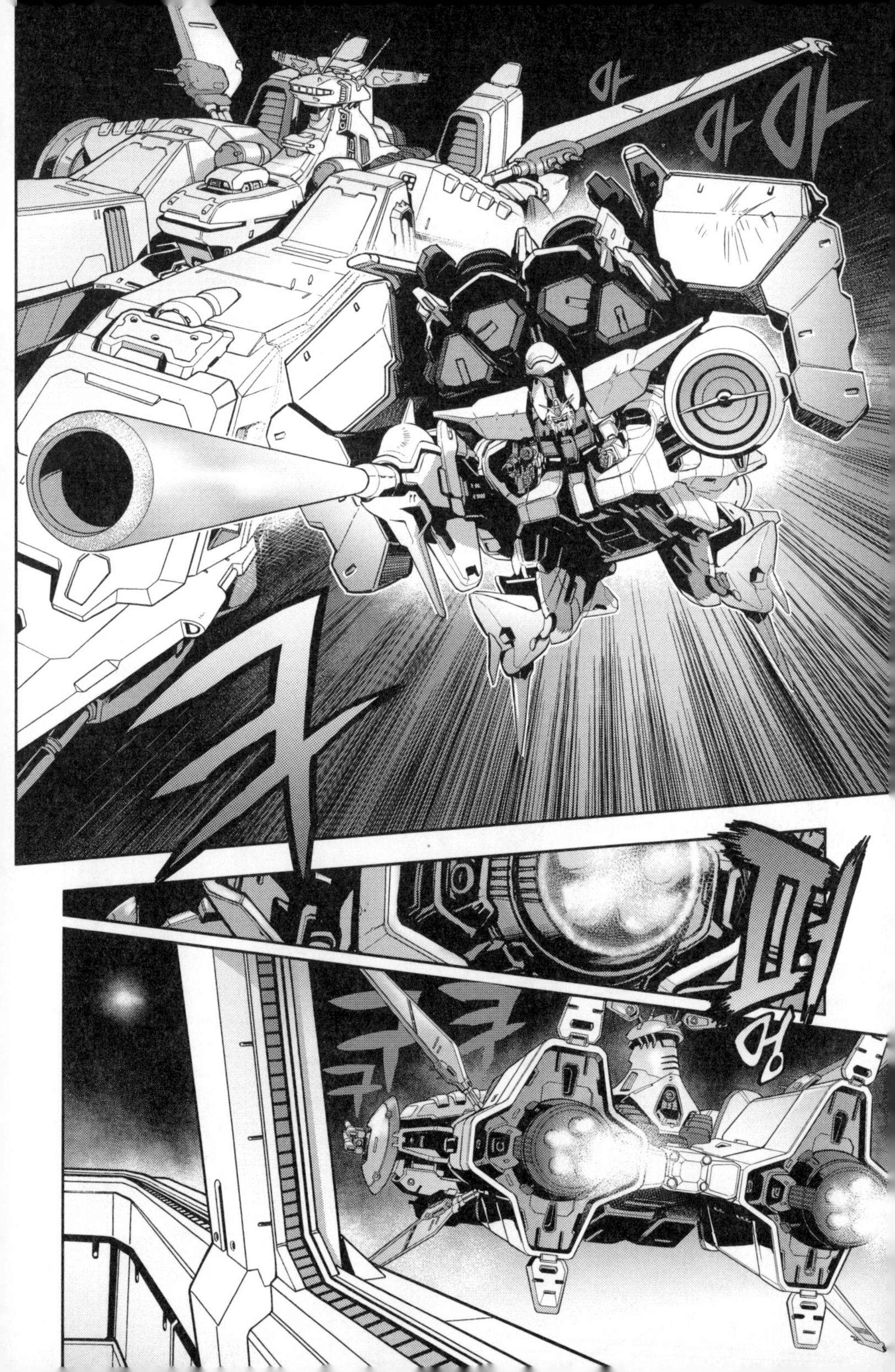

아 아아
파!
앙
크크크

역시 니나는 가버렸네….
예…

속도가 빠른 배 좀 빌릴게요!!
학스웰 소장님.
지금 가봤자 늦어, 폴라.
저도 알아요. 그래도… 갈래요!!

성급한 짓
하면 안 돼!!
니나!!

우라키,
출격 전에
그녀…
니나 양을
안 만나도
괜찮은가?
…?
어째
서죠?
우라키
넌 그녀와…
사귀고
있잖아?
너희 대화를
듣다 보니…
왠지…
말이다.

사귀냐고 묻는다면, 솔직히 잘 모르겠습니다.
전 연애를 해본 적이 없어서…
하지만… 니나는 좋아 합니다.
그리고 존경하기도 하고.

니나가 저한테 호의가 있다는 느낌도 받았습니다.
하지만… 지금의 니나는 잘 모르겠습니다.
케리 씨야말로 니나하고 아는 사이였죠.
응? 그래…
실은… 약 2년 전에
잠시, 니나 양이 내 고물상에 드나든 적이 있었다.
그녀는 정크 부품에 관심이 있었고, 그래서…
아.
그래!!

케리 씨는 알고 있겠구나…
니나가 가토하고 사귀던 때에 대해서!!
하…하하
설마 알고 있었나. 가토와 그녀의 관계를…

처음 만났을 땐 어린애 같은 얼굴로 여자 얘기를 해서
뭐라고 해줘야 좋을지 고민했다!!
말했잖아요. 연애 경험이 없다고.
어떤 얼굴로 말하면 되는 거죠?!

그럼 단도직입적으로 묻겠다!!
너한테 가토와의 전투는, 사적인 원한 때문인가?!

솔직히
잘 모르겠
습니다.
하지만…
가토하고는
한 사람의
파일럿으로서
싸우고 싶어요!!
이
건담으로…
그게
가장 큰
바람입니다.
……
…그렇다면
됐다.
전투에
쓸데없는
감정은
끌어들이지
마라.

겨우
몇 달 만에
어엿한
파일럿으로
성장했구나.
우라키.
예?
뭐라
고요?
슈
웅
슬슬
전투 구역이니까
마음 다잡으라고
했다.
예!!

각기!!
색적 경계를
철저히 하라!!
콜로니 주변에
아직 다수의
함 반응이
확인된다.
관측반은
피아 식별을
철저히 하도록!!

함장님은 궤도함대의 솔라 레이 공격이 실패할 거라고 생각하십니까.
어디 까지나 가능성 이다.
우리 작전이 헛수고로 끝날 확률이 더 크겠지.
하지만 만전을 기하려면, 행동하는 수밖에 없다.
JACQUELLONE SIMON

시냅스 함장님. 레이저 통신을 수신… 아니
이건 데이터 정보입니다. 표시할까요?
음
…이건.

콜로니 궤도
수정용 콘트롤 룸과
그 추진제
잔량이 표시된
데이터입니다.
어디서
보내온 거지?
궤도함대인가?

이건…
지온 해병대
기함인
잔지발급의
레이저 통신
입니다.
확실…
한가?
예!!

털썩
아무리
연방 쪽으로
돌아섰다고
해도
해병대가
우리한테
이 데이터를
보낸 이유는
뭐지?

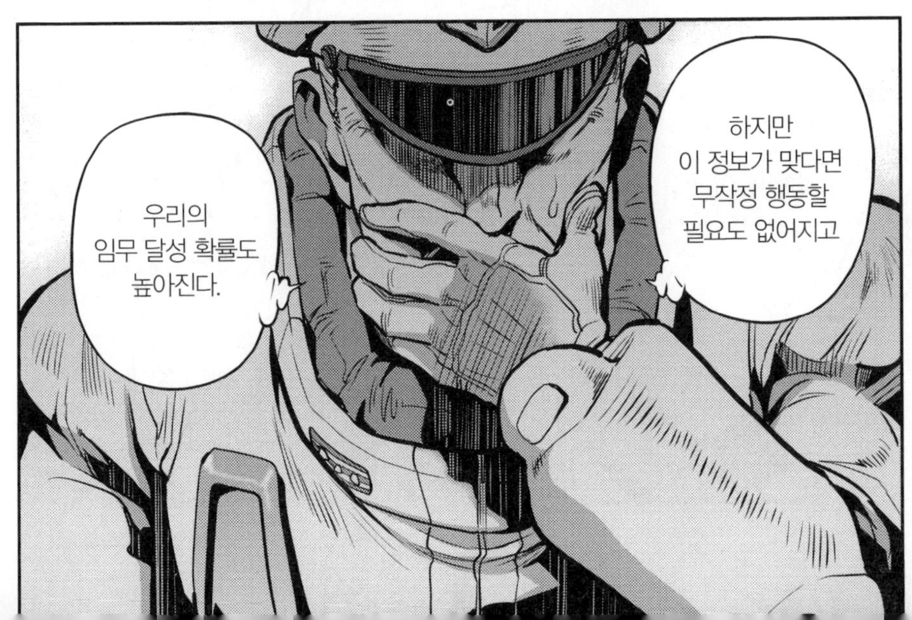
하지만
이 정보가 맞다면
무작정 행동할
필요도 없어지고
우리의
임무 달성 확률도
높아진다.

그나저나
이 타이밍…
우리 행동을
예상했다고
봐야겠지…
그렇다면
함정일
가능성도
있는데….

굳이 정보를
제공할 필요가
있습니까?
괜찮아.
그건
델라즈의
함정이다.
그리고
인연이 많은
저 하얀
배한테
우릴
돕는 일을
시키는 거다.

가토를 죽이려면
그 건담의 전력이
필요하니까.
클라라
중사…
갑니다!!
파아

슈우웅
훗
거베라 테트라.
나간다!!
철컹

아나벨 가토!!
게일의 원수를 갚아주마!!

쿠왁
가가각!!

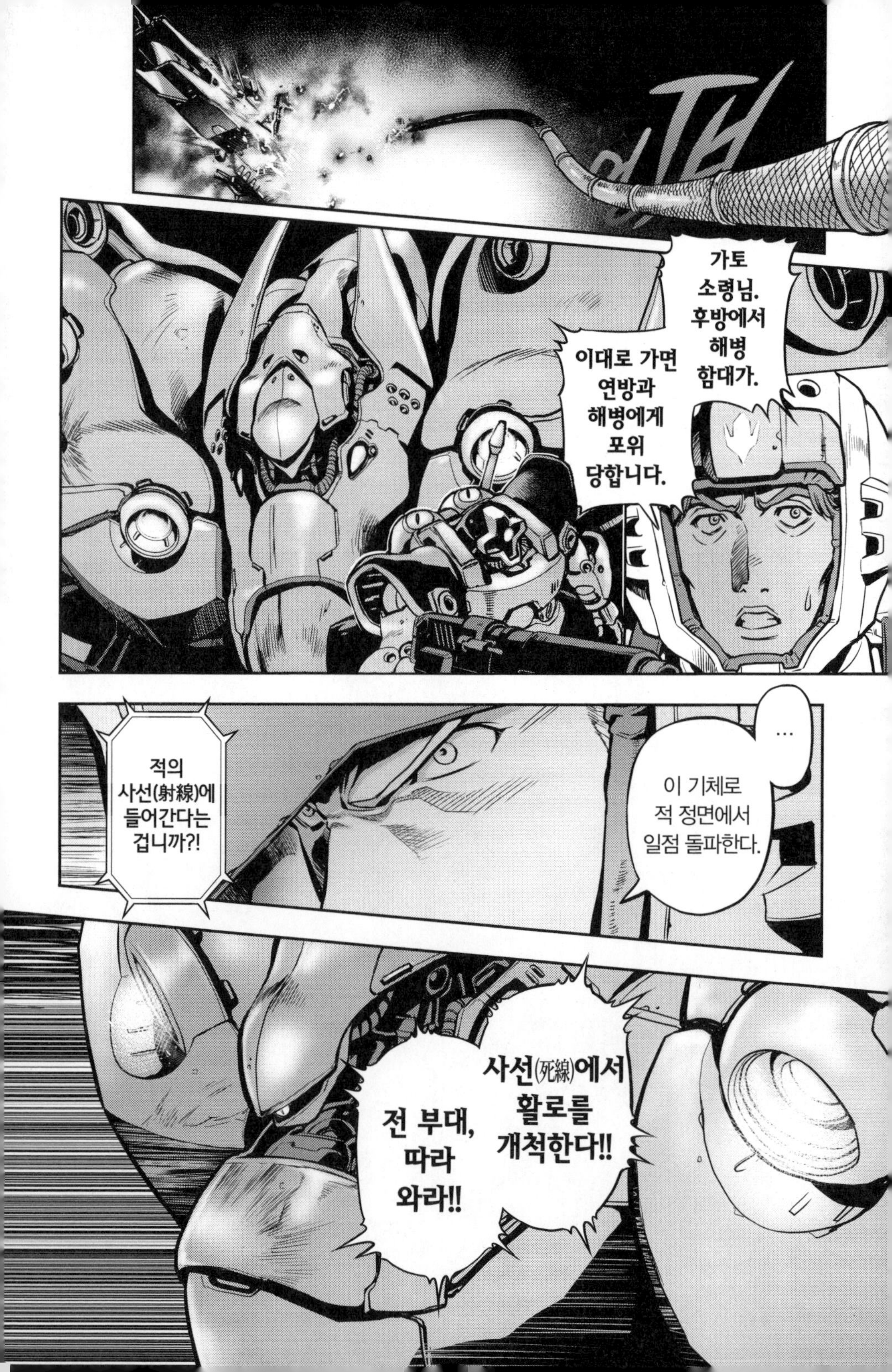
가토 소령님. 후방에서 해병 함대가.
이대로 가면 연방과 해병에게 포위 당합니다.
…
이 기체로 적 정면에서 일점 돌파한다.
적의 사선(射線)에 들어간다는 겁니까?!
사선(死線)에서 활로를 개척한다!!
전 부대, 따라 와라!!

슈와
악

!!
삐삐
삐삐삐
가토 자식!! 정신이 나갔나.
솔라 시스템 사선으로 돌격 하겠다고?!
흥
생각보다 빨리 등장하셨는데…

삑 삑
소령님!! 고속으로 접근하는 기체를 감지!!
저건 …

건담 ….

우라키…
그리고
케리 레즈너.
가토…

제69화 「전사들」
가토 소령님은 정면에서 솔라 시스템을 파괴할 생각이다!!
노이에 질의 데이터는 모조리 기록해서
액시즈로 가져간다!!

전투에 참가하지 못하는 우리가
유일하게 할 수 있는 일이니까.

아마도 이게…
그들의 마지막 싸움이 된다….

관측 포드를 전부 사출!!
아낄 필요 없다!!

가토의 MA를
확인…!!
솔라 시스템의
사선상에
있다는 걸
잊지 마라!!
이미
기체의 표면
온도가 상승
하고 있다.

솔라
시스템을
조사하기 전에
결판을
내겠습니다!!
주위에
온통 적
입니다.
포위당하면
이탈하기
귀찮겠어요.

어?
…

어째서…
잠깐만…
왜 등을 돌리는 거야…
가토…

전방!! 무사이급 1.
적 인가?!
아군 인가?!
식별 신호…
적입니다!!
파
바
진짜 귀찮은 전장이네!!
두두
두두
닥치고 일이나 해, 몬시아.

UNF-SPACY
ALBION
지이이

!!

9시 방향!!
전함 잔해가 아직 살아 있습니다.

진정해, 키스!!

식별 신호를 잘 봐라.

아?!
흐아… 아군이었습니다.

그럼 저것도 아군일까요?

응?
식별 신호가 없는데.
...
적이다!!
이건 반칙이야!!

이런!!
돌파
당했다…

펑

펑

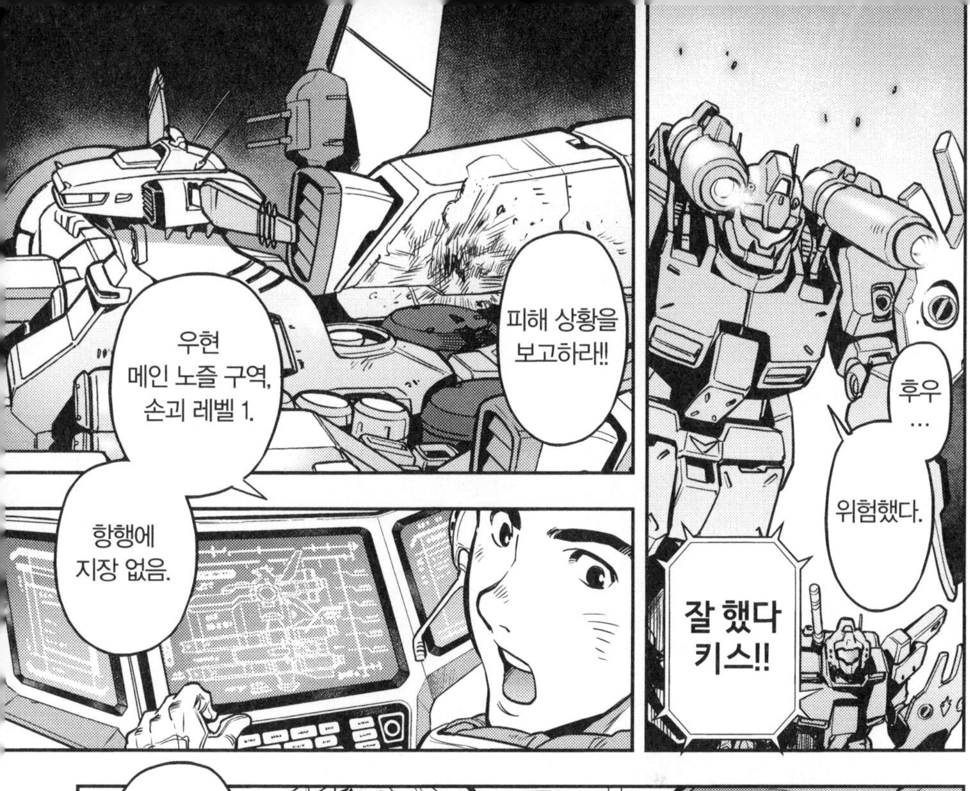
피해 상황을 보고하라!!
우현 메인 노즐 구역, 손괴 레벨 1.
항행에 지장 없음.
후우…
위험했다.
잘 했다 키스!!

색적 경계를 철저히 하라!!

…
시냅스 함장님…
함에서…
내리지 않은 겁니까?
EYPHAR SINAPUS

…
이 함교에
있게
해주세요.
전에…
여기서 앨리스
밀러 소령님이
말했습니다.

「자기가 만든
병기가
어떤 건지
여기서
똑똑히
봐라」
「그게…
건담을 만든
엔지니어로서의
의무다」… 라고.

부모님께 보낼
유서도 썼습니다.
군에 폐를 끼치진
않겠어요!!
…
전사해도 군에서
연금은
안 나옵니다.

적 중MA 접근.
솔라 시스템 II
정면,
거리 5천!!
바스크 대령님!!
더 이상의
손해를 막기
위해서라도
미러
조사각을 바꿔서
MA를 공격해야
한다고 진언
하겠습니다.
각하
한다!!
이번 작전의
가장 큰 미스는
콜로니 파괴
실패
그것
뿐이다!!
완전한 승리로
가는 길을
굳이 바꾼다면
마치 내가
가토의 MA를
두려워하는 것
같지 않은가.
콜로니를
확실하게
파괴할 수 있는
지금의 미러
조사각을 바꿀
필요는 없다.

제2함대를
미리 정면으로
이동시켜!
솔라 시스템 II 의
사선에 함대를
전개하시겠다는
겁니까?!
목표는
어디까지나
콜로니다!
MA따위는
함대
전력으로
구축한다!
시마 함대에도
MA 후방으로
부터
공격하라고
전해.
두 함대의
협격으로
해치운다!
뭐?
바스크
놈이…
우리들도
사선축에
들어가서
싸우라고?!

시마 님, 어쩔까요?
연방 함대도 있으니까, 우리하고 같이 미러로 공격하는
그런 일은 없겠지!!

지금은 얌전히 바스크의 명령에 따르지!!
가토하고 빨리 결판을 내는 수밖에 없어.

펑

컨테이너의 화력은 가토와 싸울 때를 위해 온존하고 싶어.
하지만 이렇게 적이 많은 상황에서는
이쪽이 당한다….
!!

고전하는 것
같은데,
건담!!
시마
가라하우
그렇게
경계하지
말라고.
가토를
해치운다는
목적은
같으니까,
서로
협력하자는
얘기야.
해병 함대가
가토한테
가는 길을
열어주지.

오픈
회선인데
무시하는 건
아니지,
건담!!

이런 상황에서
갑자기
협력하라니까…
할 말이 없다.
이런
상황이니까
더더욱
해야지…
응?
그 얼굴…
낯이 익는데.
전에 어디서
봤던가?
시마를
믿지 마라,
무시해!!
케리
레즈너
?!
?!

이거 놀랐네.
네가 가토를
배신하고
건담에 탔다니…
아니…
네가 가토한테
배신당했다는
얼굴이네.
…

무슨 일이 있었는지 궁금하지만, 시간이 없으니까.
서로 협력할 건지 아닌지, 대답은?
시마 님!! 이딴 놈들 협력따윈 필요 없습니다!!
조용히 해, 중사!!
강요할 생각은 없지만… 상관도 말했을 텐데.

시마 함대와 같이 싸우라고 말이야.

……

솔라 시스템 정면으로 나서면
바로 이 기체를 노리고 조사할 거라 생각했는데…
궤도함대 사령관 대행 바스크 옴 대령…
듣던 이상으로 「만만찮은 사내」인 것 같군.

카리우스!! 난 여기 머물면서
미러의 표적을 이 노이에 질로 유도한다!!
미끼가 되겠다는 말씀이십니까?!
그래!! 활로를 거머쥐려면 그 방법뿐이다.

각 부대에 전한다!!
지금부터 산개해서, 각개 돌격으로 적 방어선을 뚫고 미러까지 가라.
허나, 40km에 달하는 미러를 공격해도 직접적인 효과는 없다.

공격 목표는
조사각을
조작하는
콘트롤
함이다!!
그것만
파괴하면
솔라
시스템은
기능을
잃는다!!
가라!!
'별가루 작전'
성취를 위해…
소령님…

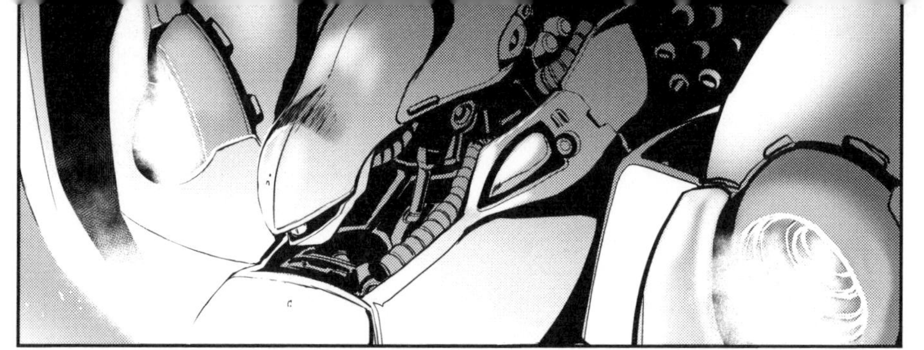

설령
이 몸이
타버린다
해도…
우리의 대의는
성취할 수 있다.
그리고 그것이
별가루 작전의
귀결이 되겠지.

지쌕
가토 소령님…
후방에서 해병대의 공격이 거세…
슈우웅
1기… 돌파 당했습니다.
하얀 MA 입니다!!
이 또한 숙명인가!!

따라 잡았다… 가토!!
!!

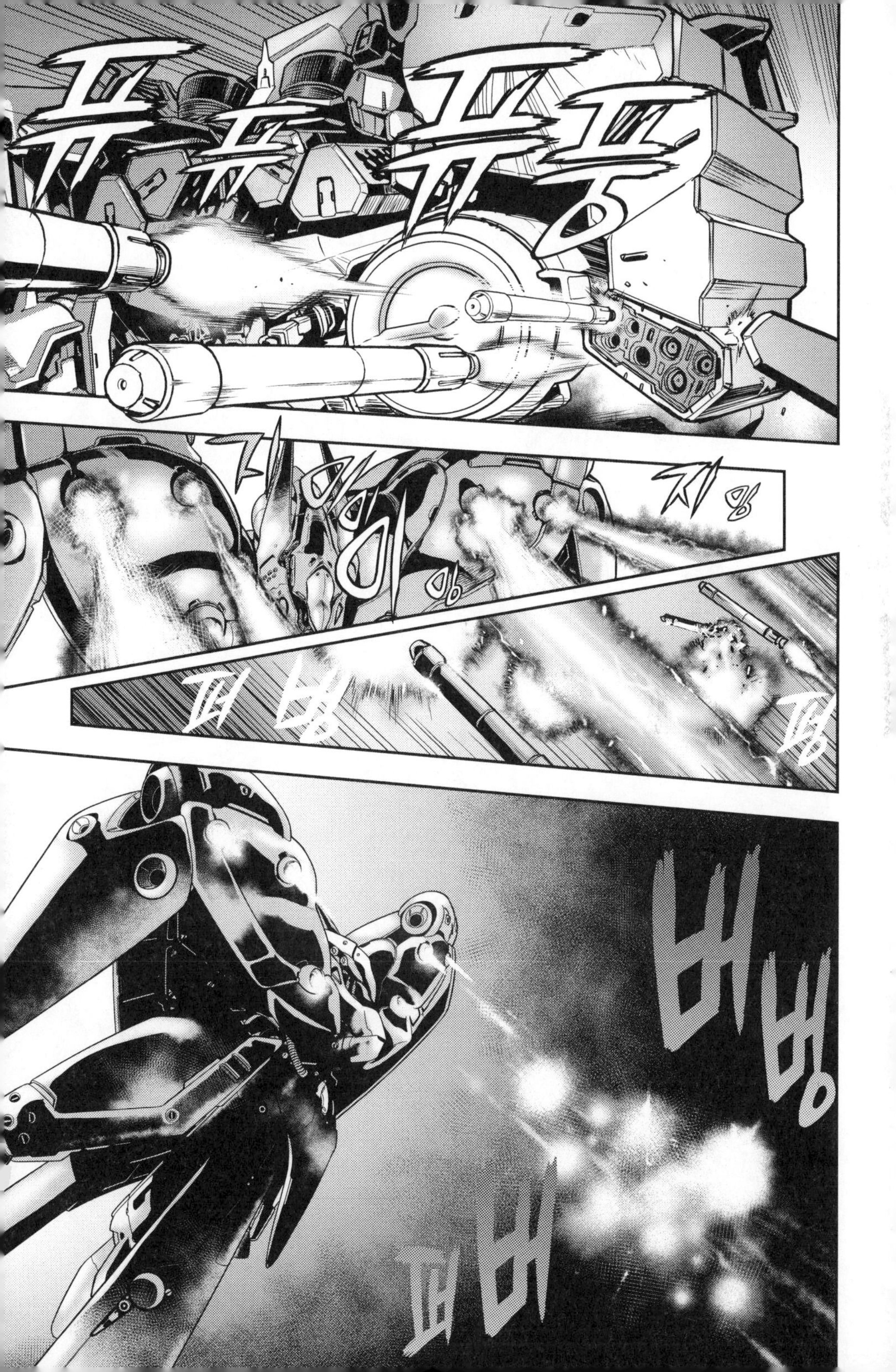

퓨퓨퓨퓽
지이이잉
지잉
퍼벙
펑
버벙
퍼버

지금이다!!
건담…

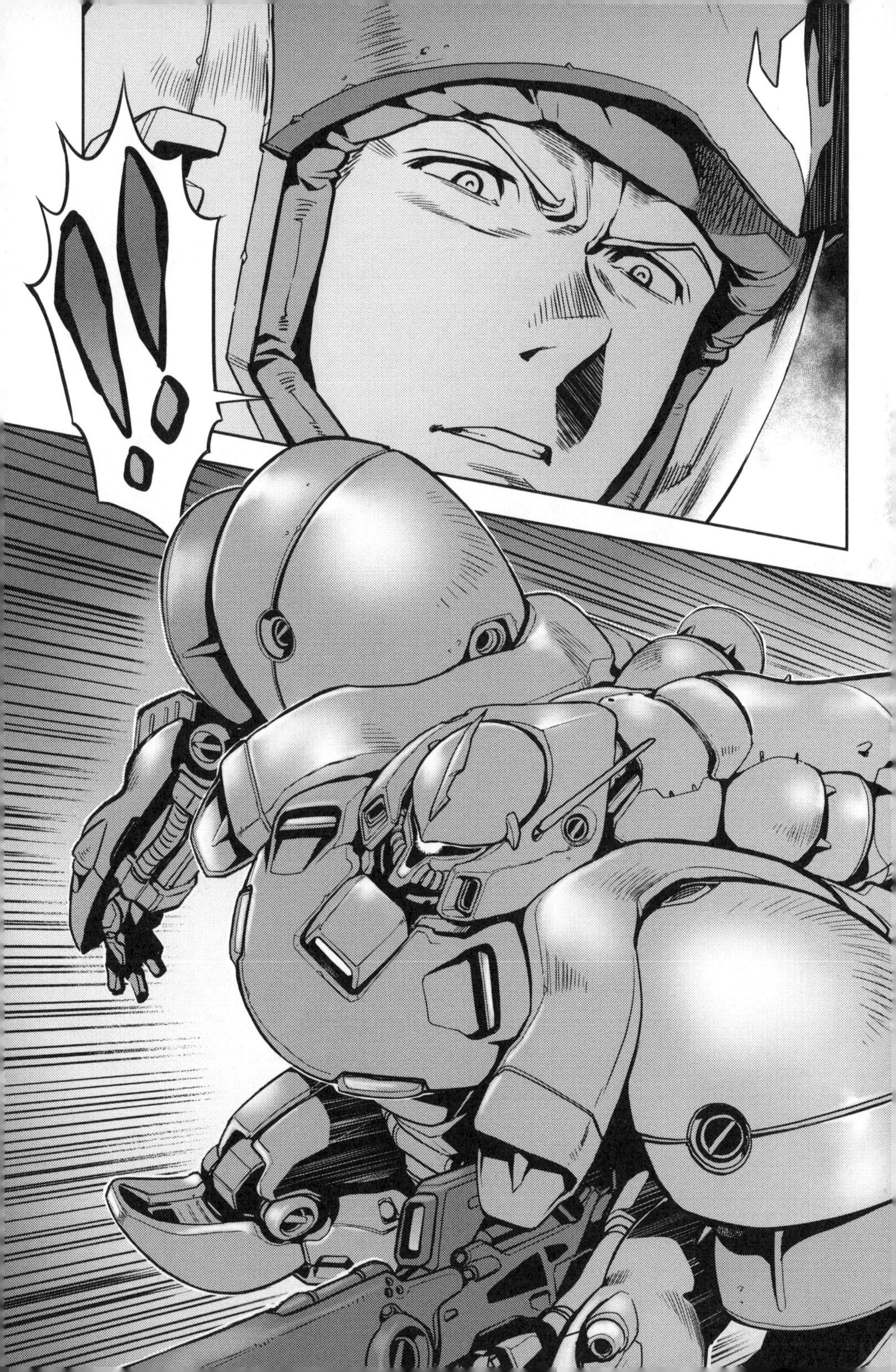

파
앗
너한테
진 빚을
갚으러
왔다
가토!!
적의 적은 아군…
이란 말인가.

재미
있군…!!
고대에는
투기장이라는
무대에
다부진 노예들을
모아놓고

목숨을 걸고 싸우는
모습을 보며
즐겼다고 하는데
이게 그런
꼴이군!!

끝까지
살아남는 건…
과연 어느
놈일까?

제70화 「빛나는 우주(Ⅰ)」
이 거리까지 접근을 용납한 게 네 패인이다!! 아나벨 가토.
시마…

네놈 같은
버러지
따위가
우리의
대의를
망칠 수는
없다!!

그놈의
대의
답답해
미치겠다,
네놈들은!!

펑펑
펑
케리 씨!!

어째서 접근해서 가토를 공격하지 않는 거죠.
난…
시마와 같이 싸울 생각이 없다.

지금은 그런 소리 할 때가 아니잖아요!!
우라키, 넌 어떠냐?
가토와의 싸움에 아쉬움을 남기고 싶진 않을 텐데.

…
저는… 군인입니다.
전장의 좋고 싫고를 따질 수는 없습니다!!

흥
설마 너한테 그런 소리를 들을 줄이야.
하지만 …
그래도 시마하고 같이 싸우지 않겠다면
넌 어쩔 거냐, 우라키.

혼자서라도
가토와
싸울 겁니다.
케리 씨의…
조작계는
이쪽에서
전부
꺼버릴 수도
있습니다.
네 마음대로
해라….

U.N.F. SPACY
ALBION
우라키 중위의
건담이
적 중 MA와
접촉한 것
같습니다.
운명의
싸움인가…
…
EYPHAR SINAPUS

생각해보면…
우리와 관계된
모든 일들에서
그 중심은
'건담'이었다…
운명이라고
하기에는
너무나 무거운…
마치 주박과도
같은.
공작반
작업 완료
점화
합니다!!
어쩌면
'건담'이란
그런 존재가
아닐까.
빠아
빠아앙

델라즈 함대가
솔라 시스템을
파괴할 경우
콜로니 낙하를
저지할 방법은
이것뿐이다.
콜로니
궤도 수정용
제어 시스템을
제압해서…
우리 손으로
지구 낙하 궤도의
각도를 바꾼다!!

날
뿌리치려고
해봤자
소용없어!!
접근전이라면
이쪽이
유리해!!

뭐 하는 거야?! '솔로몬의 악몽'이 당황했냐
꼴 좋구나, 가토!!

콰
와
아
적 중 MA가
이쪽으로
돌진합니다.
함대!
전 포문
일제
발사…!!
퍼
버
버
버
벙
!!

퓨웅
꺄악
쾅
큭
쓸데없는
짓을…
니들은
대체 누구
편이야?!

퍼엉

클라라 중사. 넌 릴리 마를렌으로 철수해라!!
지직
아, 아직 싸울 수 있습니다.
밖에서 보면 또 달라. 거치적거릴 뿐이다.
콧셀!! 클라라를 회수해라.
예!! 포착 했습니다.
…시마 님은?!

슈와아
가토를 여기까지 몰아붙였는데, 철수하겠냐.
칫
그나저나 건담 저 자식.
이 시마하고는 같이 싸울 생각이 없다는 건가.

A3 A4 A5 A6 D4 D5 D6
건담은 뭐 하는 거냐. 왜 안 싸우지?!
레이저 통신으로 건담과 강제 회선을 연결해.

건담!!
듣고 있나, 건담 파일럿!!
......
네놈은 뭘 하는 거냐?! 당장 가토의 MA를 공격해.
설마 겁먹은 건 아니겠지?!
네놈, 관등성명을 대라.

알비온 부대 코우 우라키 중위입니다.
역시 코웬 밑에 있는 놈들은 죄다 겁쟁이에
문제만 일으키는 무능한 것들이군!!
왜 안 싸우나!!

뭐냐?!
그 반항적인
낯짝은…
계속 명령을
무시하겠다면
군법회의에
회부하겠다!!

무엇
보다
이 난리
자체가
네놈들이
MS를
빼앗긴
탓에
벌어진
일이다!!
우라키…
이렇게까지 썩은
연방에 소속될
가치가 있나?
나한테는 병사로서
목숨을 바칠 조직이
아닌 것 같다.
쿠우우

케리 씨,
뭘…
설마….
너
이 자식,
듣고
있냐…
들이
받아서라도
너희
책임을
다해라.

뭐 하냐.
대답해라…
이게
대답이다.
콰
콰
콰
슈웅

지금…

저놈이 이쪽에 대고 포격을
…
했나.
그런 것 같습니다만…
사정거리 밖이라 본 함에 피해는 전혀…

이 바스크한테 포격을 했겠다…
용서 못해…
용서 못한다 건담!!

미안하다 우라키…
네 입장을 나쁘게 만들었군.
괜찮아요. 저도 같은 생각이었으니까.
가토와 결판만 낼 수 있으면
뒷일은 상관없어요.

케리 씨!! 연방도 지온도 시마 함대도 상관없어요.
가토를 쓰러트리러 가는 거잖아요!!
당연하지. 그러려고 여기 왔다!!
하지만 시마 만은…
케리 씨…!!
알았다. 더 이상 말하지 않겠다!!

노이에 질…
거리가 벌어지면
귀찮은 기체다.
그런데 저놈은
왜 혼자서
눈에 띄는 짓을
하지?
마치 미끼가
되려는 것
같은데…
그렇다면
목적은?
비켜!!
시마.

파바바
!!
파바
파바

콰과광
역시
왔구나,
건담!!

아
아아

뭐 저런
싸움이…
출력이,
차원이
달라!!

팩

솔라 시스템 II의 조사각을 저놈들에게 맞춰라!!
기다려 주십시오 바스크 대령님!!
사선축에 아군 함대가 남아 있습니다. 그리고 시마의 해병함대도….

당장 조사해!!
하지만 대령님!!
건담도 솔로몬의 악몽도 같이 해치울
좋은 기회가 아닌가!!

표적의 위치가 중앙축보다 왼쪽으로 벗어나서
40% 출력 조사가 한계입니다.
충분해!! 솔라 시스템 II
조사각 조정. 놈들을 태워버려!!
사선의 함대에 전달
긴급 대피.

이건… 미러가 조사각을 바꾸고 있다.
목표는 가토 소령님 인가…

큭…
아직 미러 컨트롤함을 파괴하지도 못했는데…

쿠우우
우우
연방 함대의 이 움직임은, 설마…
조사하려는 거냐, 바스크!!

해병대, 대피해!!
전함, 전속력으로 도망쳐.
이 전역은
위험해….

뭐야…
빛…?!
이건…

바스크
…
…

제71화 「빛나는 우주(Ⅱ)」

콰
쿠
솔라
시스템의
…
조사
공격…
아군
함정까지
태워버리는
건가?!

역시 연방은
끝까지
썩어 있었나!!

콰
아
바스크…

!!
뭐…?
쿠구구
뭐 하는
거냐,
너희들!!
구 구
보면 알잖습니까.
릴리 마를렌을
시마 님의
방패로
쓰는 겁니다!!
헛소리 마라!!
그런 명령은
내린 적 없다!!

듣고 있나 콧셀!! 배가 못 버틴다.
방호 셔터 닫아!! 각 격벽도 폐쇄.

함저 표면 온도 계속 상승 중!! 한계 온도를 넘었습니다!!
버텨!! 이 함은 대기권 돌입 사양이야.
긴급 대피!!
함저 부근 전 승무원은 거주 블록으로 대피하라!!
반복한다!! 긴급 대피.
타악

이 꼴이
나는 거야!!
연방 따위를
믿으니까…

콰앙
탄약이
유폭한다…

콕피트에
들어가
있어!!
생존률이
올라간다.
하지만…
들어가라고!!
들어가,
신참!!

펑
기껏 해병으로 인정 받았는데…
이런 데서 죽을 수는 없어.

격납고에서 화재 발생!!
대미지 컨트롤, 못 따라 갑니다.
기관 정지!!
함이 폭발해서 시마 님이 말려들면 안 된다.
척
멍청아! 함대 존속을 우선해!!

지직
지직
한 척이건, 한 명이건… 살아남으면 됩니다.
시마 님이 있어야 시마 함대 아닙니까.
정말 이지…
이런 바보들을 어디까지 이끌어줘야 하는 건지…
지직
바보는 죽어도 못 고칩니다.
우주 끝까지 따라가겠습니다.
지직
지직
시
지직
님…
!!

놈들을 해치웠는지 확인해!!
잔해가 많아서 시간이 걸린답니다.
아군 함대 잔해도… 다수 포함되었다는 보고가…
델라즈 플리트의 아나벨 가토!!
이번 사건의 발단이기도 한 건담!!
연방으로 돌아서는 조건으로 부대 편입을 요구한 시마의 해병 함대!!
그 놈들을 한 방에 해치웠다…
다소의 희생은 어쩔 수 없지!!
델라즈 플리트 잔존부대 따위…
당장 구축해라!! 거슬린다!!

허나
이 싸움…
이미 끝이
보인다!!
솔라 시스템 II의
조사각을
표적 콜로니의
진행 궤도로
되돌려라!!

함장님!!
아델이 뭔가를
발견했답니다.
적인가?!
아뇨,
그게…
대량의
폭파장치
라고?!

델라즈는 무슨 목적으로 콜로니 안에 이런 걸…
쿠
웅
…
일단 손대지 마라!! 우리에겐 시간이 없다!!
선행한 몬시아가 목표 포인트에서 적과 접촉!!
역시 적 부대가 컨트롤 시설을 호위하고 있었나…
모든 MS를 포인트로 보내도록.

몬시아기에서 지시 요청!!
식별 신호가 불명이라서 피아 식별이 불가능하다고 합니다.
어째야 하냐고. 귀찮아 죽겠네.

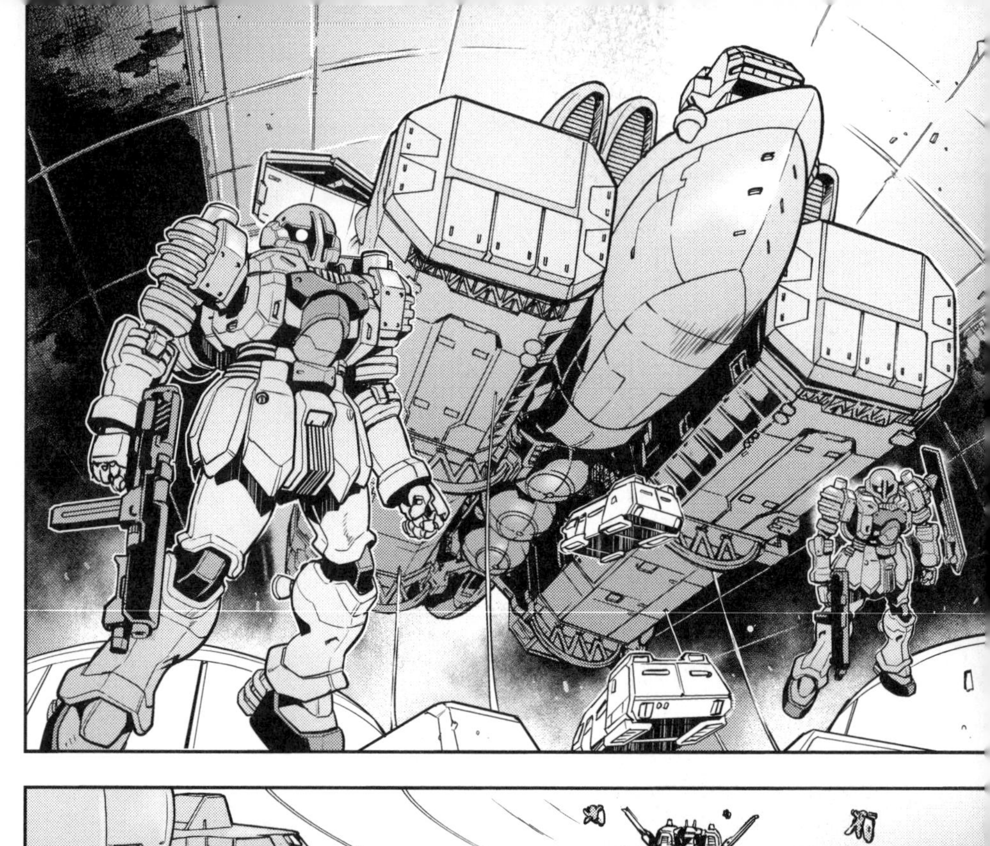

지온 함에서
통신입니다!!
응답할까요?
…
모니터에
표시해!!
민간 징용선
우드갈드 함장
나웨스트
중령입니다.

알비온 함장 에이퍼 시냅스 대령이다.
통신의 용건은 뭔가?
실은… 귀하를 한 번 뵙고 싶었습니다.

단 한 척으로 델라즈 함대와 싸워온 귀함을 높이 평가해 왔습니다.
콜로니 궤도를 바꾸기 위해서라지만…
그런데 이런 기회가 생겨서 놀랐군요.
이런 상황에서 강습 상륙이라니, 생각도 못 했습니다.

그런 소리에 어울려줄 시간 없네.
귀함을 적으로 인식해도 되겠나?
서두르지 마시죠. 컨트롤 시설은 넘기겠습니다. 단…
저희가 철수하는 중에 공격한다면 대참사가 벌어질 겁니다.

대참사라면,
그 설치된
폭약 말인가?
현명
하시군요
시냅스
함장님…
그 현명함에
경의를 표하며
말씀드리는데
궤도 수정용
추진제는
분명히 남아
있습니다.
휘
이
잉
하지만…
시설에서
컨트롤할 수
없게
시스템에
장난을
쳐놨으니
어설프게
건드리지
않는 게
현명하겠죠.
그럼, 기회가
있으면 또…
삑

폭약 얘기는 공격을 막기 위해 급조한 거짓말이겠지. 허나…
시스템의 함정 얘기는 놈들이 여기서 뭘 했는지 생각해보면…
아마도 진실… 이려나.

특수 공작반은 컨트롤 시설로 돌입 개시!!
시스템 관련 기술을 잘 아는 자도 동행하고.
찰칵
아무튼 시간이 없다. 서둘러 작업해!!
시냅스 함장님…
저도 시설에 가게 해주세요.
엔지니어로서 조금이나마 도움이 된다면…

아니.
하지만…
…

콜로니에 돌입한 뒤로 건담하고 교신은 안 되고 있죠?
예…
미노프스키 입자 간섭이 심해서 안 되고 있어요.
우라키 중위라면 무사할 겁니다.
아마도 …
오퍼레이터가 그런 소리 하지 마!!

건담과 교신이 안 된다면
여기 있어도 의미가 없어요.
조금이라도 가까이 가고 싶습니다…

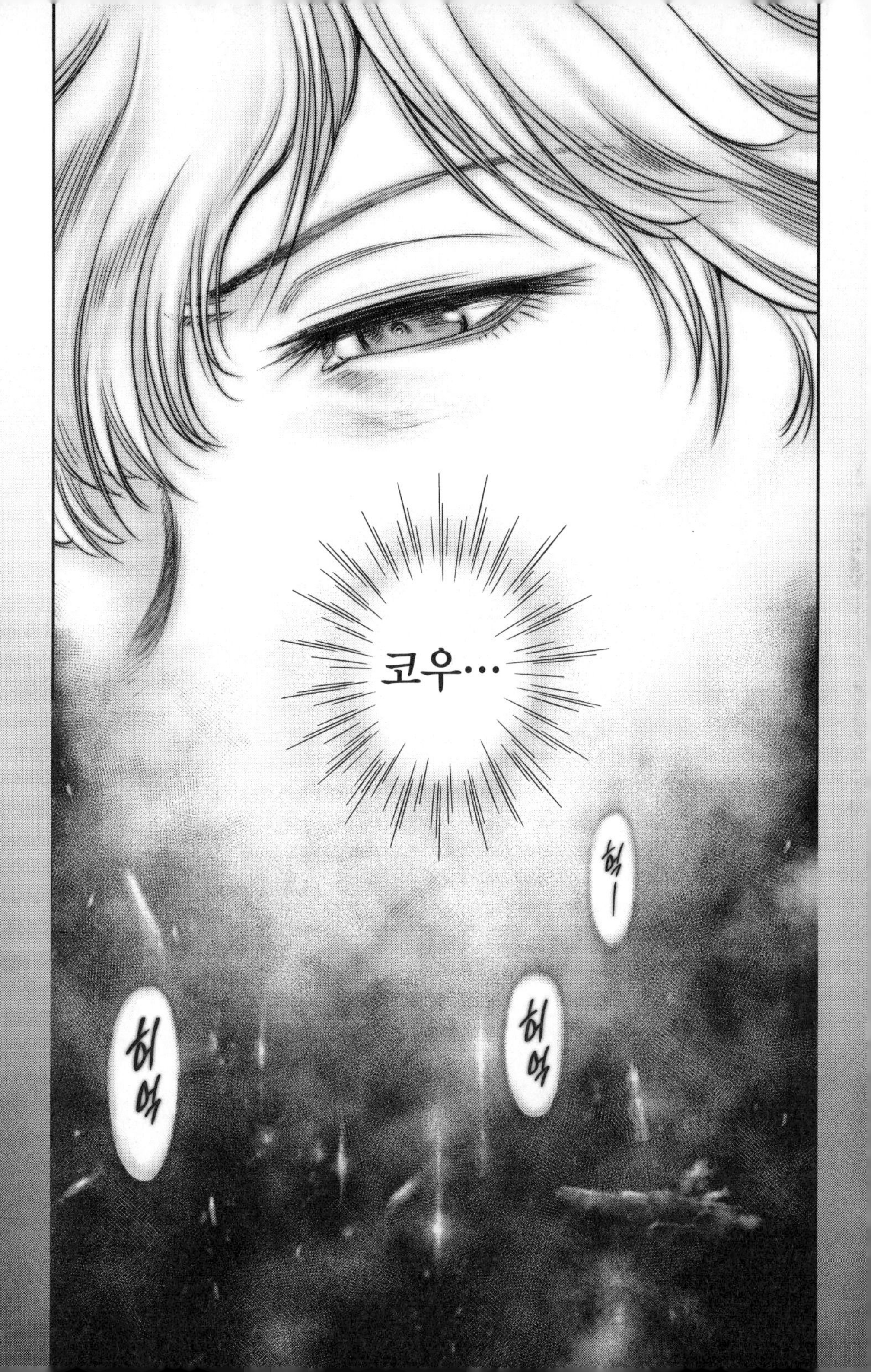
코우…
헉
헉
허억
허억

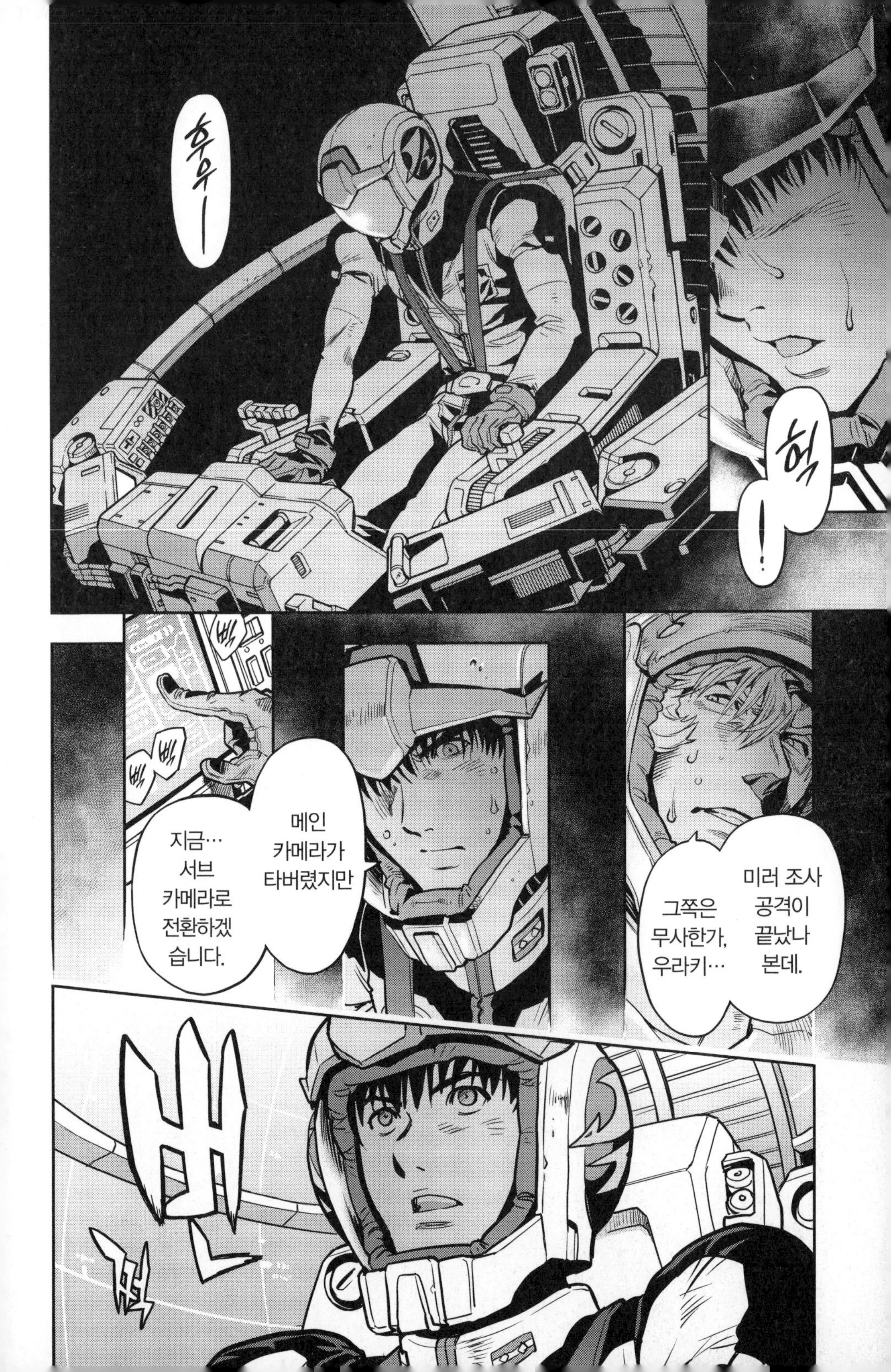
후우—
헉
!
빡
빡
빡
빡
미러 조사 공격이 끝났나 본데.
그쪽은 무사한가, 우라키…
메인 카메라가 타버렸지만
지금… 서브 카메라로 전환하겠습니다.
바
철컥

!!
가토 덕분에
살았나…
우라키!!
네놈에게
연방군은…
아군이
아니었나…?

썩어 빠진
연방에
속하지
않았다면…
ㅋㅋㅋ

네놈도…
고생할 일이 없었을 텐데…

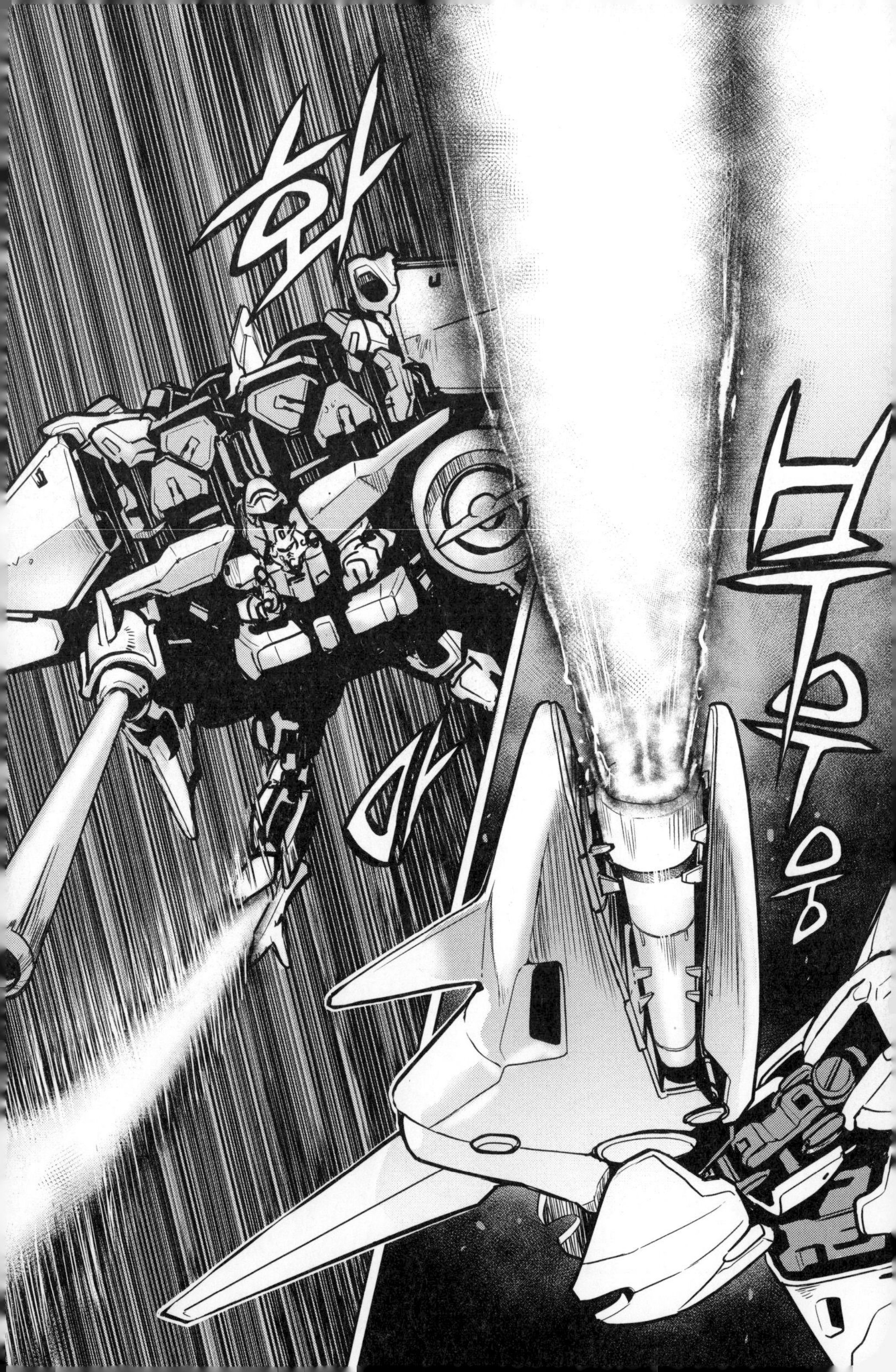

도망
치지 마,
가토!!
잠깐만!!
우라키…
기체의
대미지가
심각하다…

가…
가토의
중MA를
확인.
!!

뭐라이?!!

솔로 몬의…
악몽…
미러 조사각을 노이에 질 쪽으로 바꾼 시점에서
연방의 패배는 정해졌다…
이제 네놈들은 이 콜로니를 막을 수…
없다!!

어둠 속에
숨은
큰 뱀의
눈은
이미 표적을
포착했다.

제72화 「뱀의 눈」
쿠구
구구
솔라 시스템….
저 조사 공격을 제대로 맞으면
콜로니 정도 질량이라도 몇 분만에 펑!! 이겠지.
하지만… 델라즈 각하는 그 대책도 상정해두셨다.

우리가 본국에서 가져온 요르문간드 개량형…
운용이 어려운 데다 MS가 등장하면서 개발이 중지된 함대 결전포인데
각하의 지시로 콜로니의 독에 숨겨둔 게 도움이 됐어.
역시 지장의 지휘…

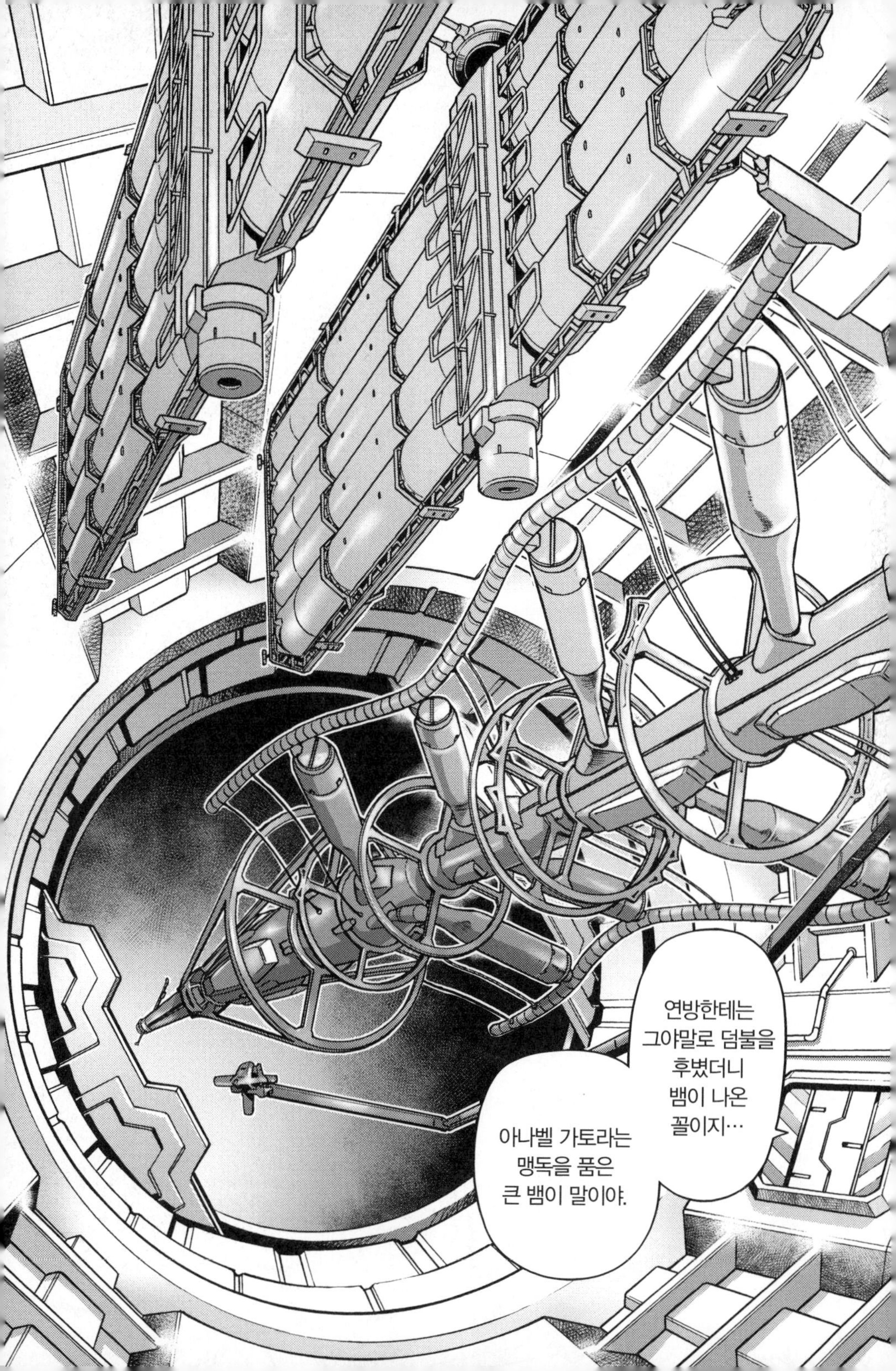
연방한테는
그야말로 덤불을
후볐더니
뱀이 나온
꼴이지…
아나벨 가토라는
맹독을 품은
큰 뱀이 말이야.

델라즈 각하가 돌아가셔도…
'별가루 작전'은 죽지 않는다!!

특수작전반은
신속히 임무를
수행하라.
시간이 없다!!
무슨 수를 쓰건
미러를
조사하기 전에
콜로니의 궤도를
바꿔!!

컨트롤
시설로
돌입!!
적은 없음!!
제어실로
가겠습니다.

먼저 궤도 수정용 추진제를 확인하고 조작계를 장악한다.
서둘러!!
...

델라즈 함대
잔존 함정,
무사이급 5!!
시마 해병대도
거의 괴멸
상태!!
그래…
지온 잔당이
졌다.
콜로니
낙하 따위는
용납하지
않는다!!
우리의
완전한
승리다…

그런데
왜냐?
왜 네놈은
그러고
있냐….

그 여유 있는 태도를 그만 둬라!!
아나벨 가토…
델라즈의 별가루 작전은 실패했다!!

거슬
린다!!
그럼 당장
저 죽다 만 놈을
어떻게든 해!!
바스크
대령님.
진정
하십시오
겨우
MA 1대
입니다.
케리 씨.
손해 부분
보정 처리가
끝났습니다.
대미지가
생각보다
경미해서
다행이네요.
우라키
…
기체가 이 정도
손상으로 끝난 건,
가토의 MA가
조사를 막아준
덕분이다.
그게
어쨌다는
거죠?

그때…
가토가 고의로
우리가
감싸줬을…
수도
있을까?

설마?!
가토의 기체도
살라미스가
방패가 돼서
살았잖아요.
그냥
우연
입니다.
…

아니면
케리 씨는…
옛 친구 가토가,
감싸줬기를
바라는
건가요?
그리고,
여기서 분리해서
가토한테
돌아갈 겁니까?
…

…그렇게
생각해도
어쩔 수 없지.
실제로…
배신자니까.
하지만 난,
너만은 배신하지
않는다…
널 피를 나눈
동생처럼
생각하니까.
아…
…
죄송
합니다…
말이
심했네요.

하지만 …
다음에 가토와 싸울 타이밍에서 분리할 겁니다.
저희 둘이서 가토를 쓰러트려요, 케리 씨!!
그래!!

콜로니에 대한 미러 공격까지 시간이 없다! 상황은 어떤가.
추진제는 남아 있지만
역시나 시스템이 잠겨 있습니다.
열심히 하고 있지만 힘든 상황입니다.
10분 전후로 해제할 가능성은 절망적입니다.
저기…
예?
애드온 잠금 프로그램을 해석했어요.
일부이긴 하지만…

자동 조작으로 콜로니의 궤도를 제어하는 코드예요.
그런데… 이건.
조금… 늦었나 보네요.
프로그램은 …
이미 기동했어요.

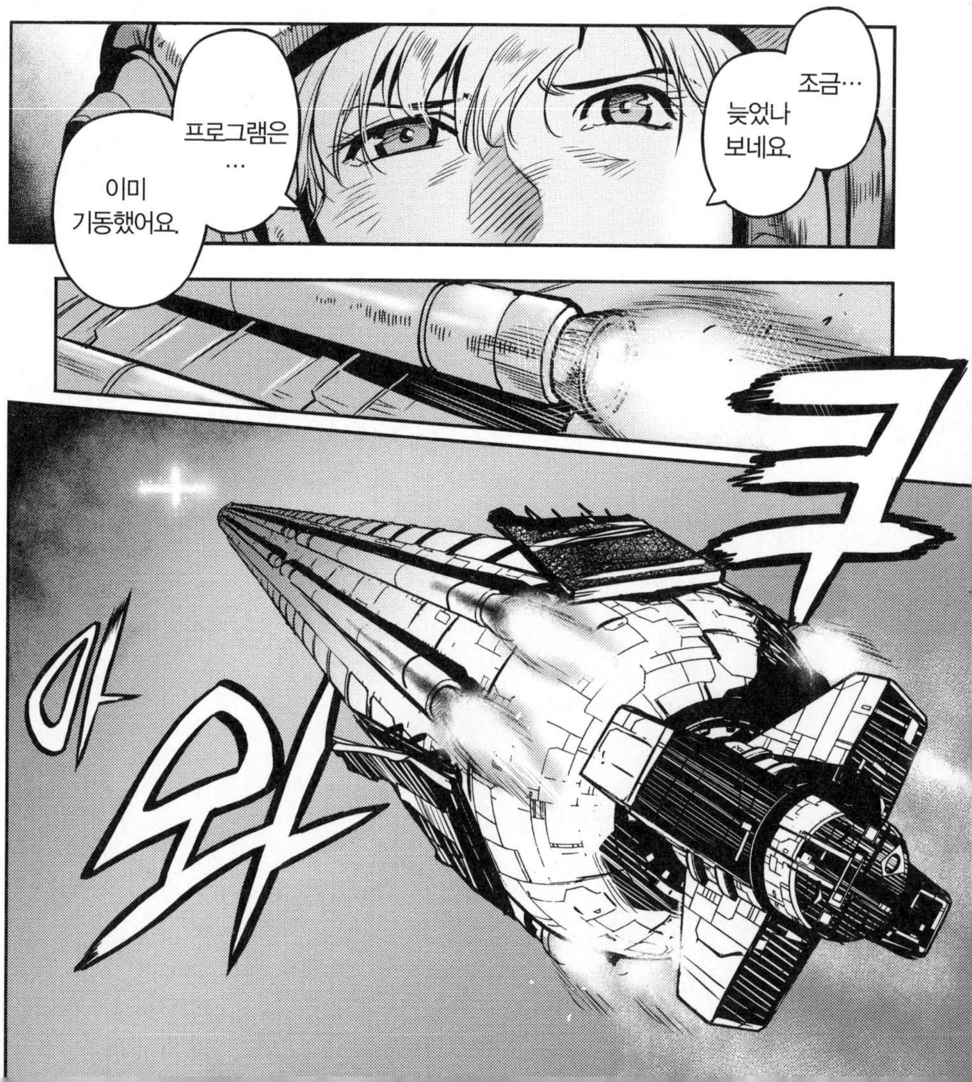

쿠
구
구
쿠
콜로니가 가속을 시작했다고?!
추진제는 궤도 수정용으로 남겨둔 게 아니었나?
쿠
구
콜로니가 가속하면 미러 공격도 빨라진다.
당장이라도 이탈해야 한다
작업정을 철수시켜. 긴급으로!!

타
타닥
작업을 전부 중지하고 알비온으로 철수해!!
긴급 철수다…!!
…

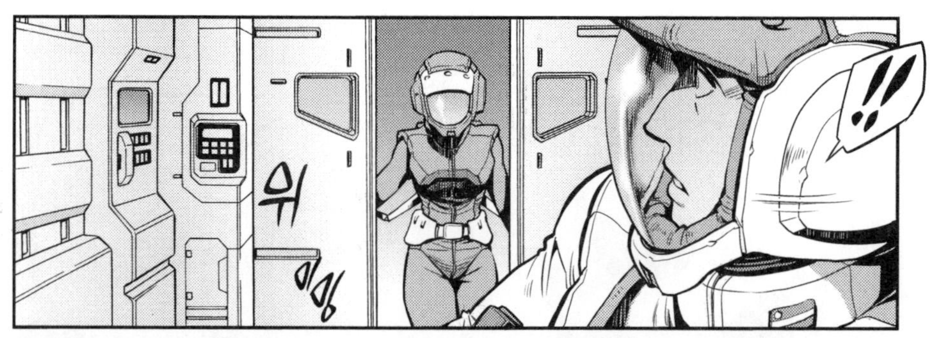
!!
위이잉

뭐 하는 거야, 철수다.
이거 열어!!

알비온으로 돌아가도 의미가 없어!!
여기에 뭔가 단서가 더 있을 거야…!!

프로그램을
더 조사하면…
가토가
지금부터
뭘 하려는지
알 수 있을
거야.
쿠
와
아
콜로니가
가속을
시작했습니다.
흥!!
속도를 높여서
조사 공격을
돌파할 셈인가.
우습군!!

컨트롤 함에
솔라 시스템Ⅱ의
조사각 미세 조정
지시를 내려!!
콜로니에
최대 출력 조사
공격을 가한다!!
작전
개요는…
적의 조사 공격을
막기 위해
미러 조작 기능을
파괴하는,
그게 목적이다.
예.
문제는 컨트롤함을
찾아내기가
힘들다는 점이지.

컨트롤
함의 위치를
찾으려면
미러
각도를
바꾸게 할
필요가
있어.
그래서
가토 소령이
미끼가 돼서
솔라
시스템을
쏘게 했지.
놈들이
미러 각도를
조작하려면
전장
40km로
펼쳐진 미러에
지시 전파를
보내야 해.
하지만 전파가
미노프스키 입자의
영향을 받아서
1초 미만의 지연이
발생하고
그 지연이 물 위에
퍼지는 파문처럼,
미러의 움직임에
반영되지.

큰 뱀의 눈은,
그걸 빈틈없이
보고 있었다.
요르문간드
개량형…
그 우수한
광학식 측거의는
미러 반사광의
지연을 관측해서
'빛의 파문' 중앙에
숨어 있는
컨트롤함의 위치를
찾아냈다.

그리고
위치 특정을
신호로 콜로니를
가속시키고
플라즈마포의
유효 사정거리까지
단숨에 달려간다.
그것이
각하가 남긴
작전 수행에 관한
대응 지시다.
바스크
대령님…!!
오오…
콜로니가
육안으로
보인다.

솔라
시스템Ⅱ
조사!!
번쩍

미러 조사
공격인가…

펑
다
타버려라
…!!

부웅
쉬잉

흥!! 어딜 노리는 거냐.
헛된 발버둥을…
솔라 시스템 컨트롤함이 파괴 당했습니다.
미러를 제어할 수 없습니다.
콜로니 …
콜로니는 파괴했나 …?!

!!
살아있다…
뭐…
뭐 하는 거냐, 회피다…
긴급 회피!!

좌회전…
좌회전 이다!!
으아아아아아!!
세상에 …
콜로니가….

…
저지
한계점을
넘었다…
콜로니 낙하를
막지 못했어…

제67화 「G라는 이름의 존재」
타냐 중위님. 알비온이 보입니다.
다행이다. 본격적인 전투에 돌입하지 않았나 보네.
...!!
저게 시제 건담 3호기 덴드로비움.
내가 지금까지 조사한 건담들과 비교해서 너무나 이질적으로 보여.

MOBILE SUIT GUNDAM 0083 REBELLION

STARDUST MEMORIES

CONTENTS

만화 나츠모토 마사토
원작 야다테 하지메 토미노 요시유키
협력 선라이즈
콘셉트어드바이저 이마니시 타카시

RX.78.7
0.5
동시 운용에 특화된 건담 4호기와 건담 5호기
중거리 공격을 주축으로 개발된 건담 6호기.
종합 성능 향상을 목표로 했던 건담 7호기.
DO NOT TOUCH
그리고 전후에… 새롭게 개발된 시제 건담 시리즈 최종 형태
'GP-03' 덴드로비움.
제67화 「G라는 이름의 존재」

건담이라는
이름의
기체는…
항상
파란의 결말을
맞이할 운명…
인가.

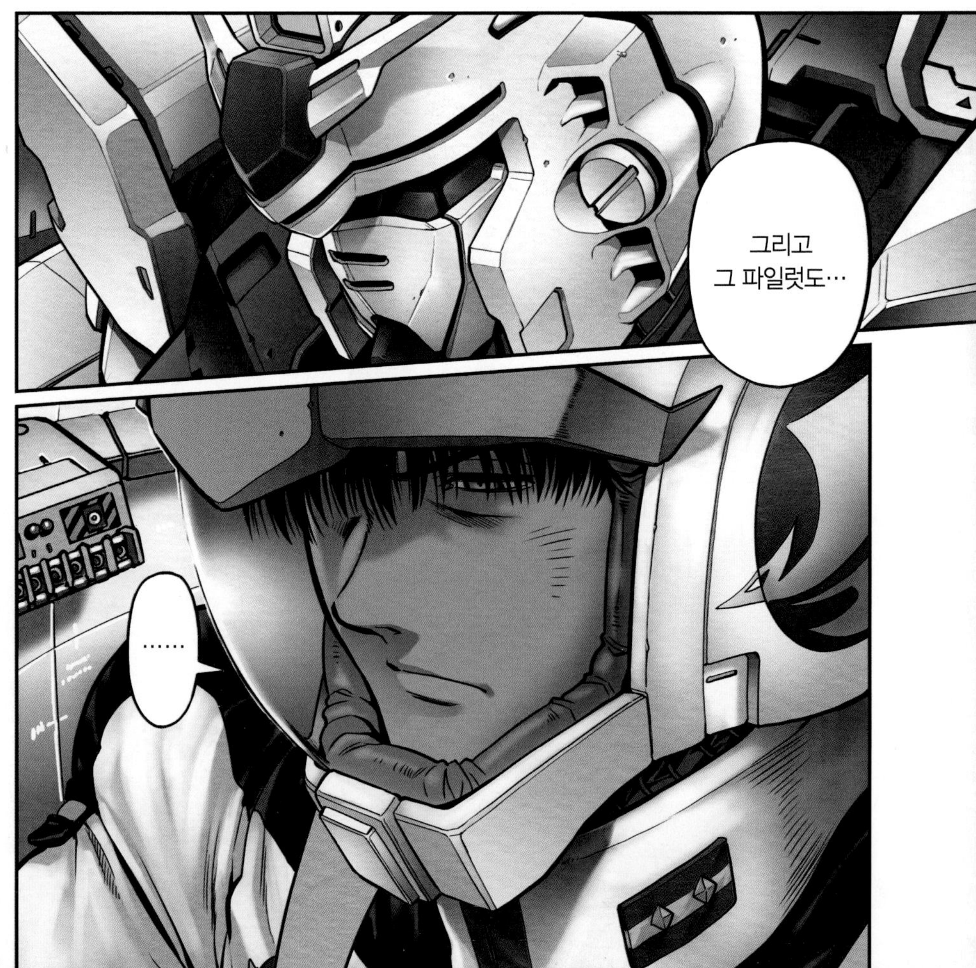
그리고
그 파일럿도…
……